모든 형태의 고민을

모 든 고 민 을
형 태 의

김주혜 수필

차례

초 장

출발

모든 일, 모든 장소와 모든 관계에는 시작과 끝이 있습니다.
그처럼 그대 지금 서 있는 장소에도
더 나아 가야 할 그대의 시작과 끝마무리가 있겠지요.

그대 앞으로 마주할 모든 출발의 순간 속에
모두 이겨내고 달려 나와
나에게 안기길 바라는 마음이 가득하네요.

1

부

별

그런 거 있잖아
자주 올려다 보지도 않던 하늘을 막 보고 싶을 때.
그럴 때 하늘 올려다 보면
별인지 인공위성인지도 모르겠는데
유독 혼자 빛나는 별,

넓디 넓은 황야같은 우주에
작은 별일뿐이지만
너무 반짝여 그 빛 하나로 오래 기억남는 별.

나에게 있어 넌 그런 존재야.

그러하리라

밤새 소복히 눈꽃이 그대에게 쌓이면
그대가 꽃을 피울 테니,
봄비가 그대를 살짝 물들여도
그대는 꽃을 피워내리라.

여름날

놀라웠어요.
아니 신기했어요.
그만큼 맛이 없어 밍숭맹숭하면서도
그 맛이 자극적이어서 어찌나 끌리던지요.
달지도 시지도 않은 것이
약간 떫고도 시원하며
돛단배와 튜브 동동 띄워
앞엔 파라솔을 한가득 세워둔
그런 바다를 양 볼에 그득 채운 맛이었달까요.

좋아

수놓은 꽃, 세잎 클로버 사이 네잎 클로버, 비 냄새가 잔뜩 베인 새벽의 냄새, 물을 머금은 수채화, 나무가 잔뜩 세워진 숲, 흰나비.

우린

우린 우리답게 청춘을 거닐 때 가장 멋지다.

우리는 우리답게
각자의 자리에서 서로의 자리까지
닿을 빛을 쐬어줄 때 가장 영향력 있고

우리는 우리답게
불협화음이든 뭐든 간에
일단 치고 나가 우리만의 하모니를 만들어
비로소 협화음으로 만들어 세상에게 온전한 우리를 보여줄 때
가장 우리답다.

속삭이는 순간

꽃도 풀도 색도 없이 찬바람만 쌩쌩 부는 겨울
장차 더 나아갈 나는
우리 같이 속삭이는 순간들에서
아직도 어린애처럼 앉아 주변만 둘러본다.

꿈

지금보다 훨씬 전,
그러니까 네가 불과 열 몇 살 때
네가 성취할 생각에
벌써 설레 밤잠을 설쳤던 그런 꿈.

그 꿈은 네게 잠깐이었을지,
혹은 그것들이 모여 너를 만들어 냈을지.

내일 아침 해가 뜨면
너에게 더 멋진 꿈을 내어 보일 테니
넌 그 꿈을 잃지 말고 간직해주길 바라.

카메라

카메라엔 미처 담을 수 없었던
그날의 설렘, 온도, 향기까지.
난 그날, 그때, 그 시절을 사랑했나봐.

청춘의 증표

그 여름빛에 설익어
조금은 푸르고 딱딱했던 우리 사랑
더할 나위 없이 무르게 익어
두팔 흠벅 적셔오니
그것이 우리의 청춘의 증표이외다.
이토록 우리 이리 많은 시간을
서로에게 써왔는데
넌 왜 이토록 말이 없는 것이오.

봄의 편지, 사랑의 이야기

내 마음 꾹꾹 눌러 담아 쓴 편지를
조그만 유리병에 담아
바다 위에 리본 달아 동동 띄워 보냅니다.

그 빛은 너무 빛나 당장은 그대가 열지 못하겠지요.

언젠가 내 수명 다해 마음도 식어갈 때쯤이면
빛도 덜 할 테니, 그때 열어 다시 한번 나를 떠올려주세요.

궁서체

평소 직접적이진 못하지만
그 표현을 하지 않아도
겉으로 모두 드러나던 사람이 있다.
수줍지만 그만큼 부드럽던,
조금은 대충인 감이 있었지만 그만큼 따듯하던
굴림체의 너.
그런 네가 떠나가기 전에 마지막으로 남겼던 말은
사랑해. 궁서체였다.

그때의 서로에게

사랑에 흠뻑 담궈진 우리.
정리하고 일어서서 걸어가려 해도
내게 묻은 너의 사랑이 내 발목을 잡아 끌어내고

어쩌면 서로가 있었기에 지금을 이룰 수 있던
그때의 서로에게 다시 전할게.

네가 있어 내 길을 찾고
그 속의 나만의 방향을 찾을 수 있었어.
네가 늘 그랬던 만큼 나도 네게 있어
그만큼의 빛을 쥐여주었던 사람으로 남고 싶어.

봄

먼지와 모래들은 점점 더 내게 가까워졌고,
누군가는 상대방의 꿈을 짓누르고는
저 높이 올라가 이쁜 꽃을 본다.
내게 저 아래 물이 가득 차 절망보다 더 절망스러웠던
바닥을 보여준 너에게
한 줌의 사랑과 두 줌의 후회를 쥐여주고 싶다.
그제야 넌 네가 짓누른 것이
생명이 온전히 붙어있던 꽃이었던 것을 알게 되었고,
고개를 숙인 꽃은 생사를 알 수 없는 것이니
난 이것마저 봄이라고 부르기로 하였다.

노래

당신의 작은 노랫소리에
내 얼마나 심장이 뛰던지

당신의 작은 흥얼거림에
내 얼마나 신이 나던지

당신의 작은 외침에
내 얼마나 설레이던지

2
부

구십춘광

봄은 사계절 중 자살률이 제일 높은 계절이다.

봄이 물고 오는 다디단 꽃내음과
그 뒤에 숨겨진 들끓어 오를 양기 때문일지,

새해가 다가와
모든 것을 새로 시작해야 한다는
큰 부담과 맘속의 부하들이 얽혀
큰 우울감이 모든 것을 순식간에 덮었을지
나로선 가늠도 안가지만

봄은 빛나고 본인은 그 중간에 있음을 잊지 말라.
벚꽃은 금방 피고 금방 진다.
그 사이 분홍빛으로 찬란히 빛을 내는 날은 더더욱 그렇다.
하지만 분홍빛이면 어떻고 아니면 또 어떠한가.
그 또한 벚꽃이며, 충분히 매력 있다.

본인의 매 순간도 벚꽃처럼
매시, 매분, 매초 다 각자의 색을 비출테니
분홍빛 꽃잎 하나가 떨어져 나가더라도
잠시 묵묵히 버텨만 주어라.

그 후 자신을 되돌아볼 때 엔
본인뿐만 아닌 그 주변도
아주 이쁜 분홍색으로 물들어있을 것이다.

꽃샘추위를 일찍 겪고
스스로 꽃을 피워낸 한 명의 청춘이여,
많이 춥고 아프겠지만 그마저도 너의 꽃이니
아픔 속 빛나는 노력이 제일 빛난단 걸 잊지 말고
한 장의 꽃잎, 여러 그루의 나무를 위해 나아 가 보자.

가볍지 못한 사랑

사람들은 한번 즈음 누군가를 사랑하기 마련이다.
그게 이성이든 동성이든 마지못해 부모님이든.

단순한 내 감정으로 그렇다고 생각하면 사랑이고
그렇지 않다고 생각하면 사랑이 아닌 것.
이런 사랑의 형태는 너무 다양해 기준을 정의할 수 없다.

그게 사람들이 사랑을 쉽게 언급하지 못하는 이유 아닐까?

사랑을 주워 담는 건 쉽고
간직하는 것 또한 쉽지만
사랑을 건네는 건 조금 어렵다.

사랑을 주는 이의 마음을 마다할 사람은
그 어디에도 없다는 걸 잊은 채
애매모호한 말들만을 꾹꾹 눌러 담아 건네고
수신인은 그 말들의 의미를 쉽사리 이해하지 못한다.

이 글을 읽은 그대들은 오늘 밤
정말로 사랑하는 사람들에게 마음을 표현할 수 있었으면 좋겠다.

오늘의 그대를 위하여

오늘 하루는 어땠나요?

너무 행복해 눈물이 난 날을 혹은
너무 불행해 웃어넘긴 날을 보내셨나요?

난 그대가 오늘도, 어제도,
죽어라 앞만 보고 달려왔을 거라
믿어 의심치 않아요.

그래도 당신이 이 글을 읽고 있는거 라면
오늘 하루 잘 버틴 거겠네요.

오늘 하루 깨질세라 부서질세라
열심히 그대답게 버텨주어 참 고마울뿐입니다.

난 그대를 본적도, 만난 적도 없지만
난 어떤 모습의 그대도
사랑할 자신이 있습니다.

그댄 그냥 그 자체로도
충분히 근면하며 매우 강인하고 용감합니다.
시간은 당신을 더욱 뒷받침하고 더더욱 빛나게 할 것입니다.

한없이 이쁜 그대가
한없이 멋진 그대가
오늘 하루를 그대답고 강인하게 버텨내
이 자리에서
나의 글을 읽으며
이 자리에 설 수 있음에

그대의 용감함 에게 한번,
그대의 대견함 에게 두 번,
앞으로 더 튼튼해질 그대에게 세 번,
작지만 힘찬 박수를 전하고 싶은 마음입니다.

낙화

부디 절 한 번이라도 봐주시렵니까?

당신께 향한 찬 칼바람
내 등으로 다 막아설 터이니

당신 고통 내 끝까지 책임지고 짊어질 터이니
당신의 마지막 눈물이 땅에 닿기 전
죽음의 문턱 앞에서 당신을 기다릴 터이니

당신이 무서움에 뒷걸음질 칠 때마다
내가 뒤에서 당신을 받쳐줄 터이니

어디서 언제까지나 방황해도 좋으니
당신이란 소설의 결말은 나로 끝날 수 있게

부디 내게로 와주시렵니까?

마지막 여름

너와 누워서 잔잔히 얘기하던 그 시간을
당연하다는 듯이 생각했으면 안 됐었는데

너와 같이 지내왔던 그 시간과
너와 함께 봐왔었던 그 풍경을
그러려니 넘기면 안 됐었는데

너와 맞았던 그 소나기를 마냥 싫어했으면 안 됐었는데

올 때도 갈 때도 항상 제멋대로인 너에게
항상 못되게 말했으면서도
뒤에선 후회만 하며 이렇게 노트에 끄적이기만 하는 나는

너와 지내온 그 시간들 속에서
기쁜지 슬픈지도 제대로 몰랐지만

이젠 너와 지내온 시간과 너마저도 물거품이 되어버렸으니

그래서 난 그 시절도, 여름이란 계절도
눈물 맺으며 바라볼 만큼 가슴만 시린 계절이 된 것만 같아.

이젠 네가 없는 가을을 향해 달려가는
너와 나의 마지막 여름이야.

도래

누군가의 도래를 염원하고 갈구하는 이들의 슬픔이
하나둘씩 들려온다.

검붉고 거칠고도 점점 이울어 간다.

자신이 한평생 지다위 해온 자의
소식이 들려오지 않음에
자신의 끝을 보기라도 한 듯
절망스러운 표정을 짓는 이가 있으면

반대로 그사이에 타울거리며
나의 자의 소식이 들려오지 않음을 부정하는 자가 있으니

난 어찌 아무 느낌도 들지 않는 것일까.

내 자는, 내 상대는 그곳에서 돌아오지 못하는데도
왜 난 아무 감정도 느끼지 못하는 걸까.

일렁이는 마음의 소리

숲 속을 거닐다가 문득
바람이 부드럽게 나뭇잎을 스치는 소리가 들렸다.

그 순간, 마치 마음의 깊은 곳에서
떠오르는 감정과 함께한 여행을 하고 있는 듯했다.

갈대밭에서는 바람에 흔들리는 갈대가 자유롭게 춤을 추며,
자연의 소리가 마음을 편안하게 만들었다.

그 고요한 순간 속에서 새로운 시선을 얻을 수 있었으며,
마음의 평화를 찾을 수 있었다.

너네들도 그렇지?

지금 내게 필요한 건
무엇이 닥쳐와도 다 때려죽일 수 있는 마음가짐 정도야.

너로 하여금 내가 일어설 수 있다면
기꺼이 널 지르밟을 수 있을 정도의 마음가짐.

상상만 해오던 것들이 내 눈앞에 나타나도
다 좆 까라 하고 당당히 걸어갈 수 있을 정도의 마음가짐.

인천에선

지금 인천에선 비가 옵니다,
주룩주룩.
타닥타닥.
그리고 터덜터덜.

내 앞을 지나가는 이들의 발걸음은 너무나도 무겁네요.

온도

내 인생은 썩 재밌진 못하였다.
흥미가 없을 인생은 못 되었지만
그냥 가끔가다 다 포기하고 싶어지는 그 정도.
사람들은 내 인생을 다이나믹한 인생이라 정정한다.
그리고 나 또한 그렇게 생각하는 중.

한 19도 정도라고 보면 될 것 같다.
덥거나 춥진 않지만
적당히 냉담하지만 또 칭얼대는 찌질함이 가끔 덥게 하는
이도 저도 아닌 딱 그런 온도.
내 삶은 딱 그 정도였나싶다.

파도의 노래

끝없는 바다 위,
파도는 쉼 없이 춤을 춘다.

고요함을 깨우는 소리,
끊임없이 밀려오는 물결.

파도는 바위에 부딪히며,
자신의 이야기를 속삭인다.

낮과 밤, 계절이 바뀌어도
변함없는 그 노래.

그 노랫소리는 우리에게 말한다.
삶은 끊임없는 움직임,
멈추지 않고 나아가며
자신의 길을 찾으라고.

누군가의 숲

예전에 꿈속에서
누군가를 파고들어 그 마음속의 숲에 간 적이 있었다.

현실에선 눈에 보이지 않던 것들이
자연물처럼 서 있다고 느껴졌다.
그냥 마음이 그랬다.

나무 대신 사랑이 울창하고 빽빽하게 자라있고
가시덤불은 끈끈한 믿음처럼,
폭포에선 희망이 쏟아져 내리다
한두 방울은 내게 톡톡 튀어오고 그랬다.

새들이 지저귀는 울음소리는 자유처럼 들려오고
간지러운 바람은 성공처럼 시원하게 불고
산세의 호수는 행복같이 가득 담기다 못해
금방씩이나 차올라 넘칠 지경이었다.

누구였는지는 알 길이 없지만
그 사람이 원하던 세상도
이런 세상이 아니었을까?

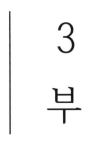

3
부

우산

깊게 머금고 옅게 뱉은 내 고민
하늘에서 투둑투둑 떨어질 때면
우산이 망가지고 찢어질 듯 그래도 꿋꿋이
계속 날 지켜줄 그런 존재.

내 고민들 하늘에 구름에
답답해 서로 엉겨 붙어
서로 싸우다 그 열에 비처럼 녹아 내려도
늘 옆에 붙어 그 비를 다 막아줄 그런 존재.
그게 바로 너 우산이야.

휴식

더운 바람 내 방에 들어와 겨울에 나가더니
이제 내 방안에 남은 건 찬 바람뿐이네.
그런 날들이 쌓이고 쌓여 섬을 이루니
그 섬의 이름은 휴식이었네.

그런 바람도 쉬어 가는데
이렇게 보란 듯이 열심히 사는 그대들도
휴식이 필요하지 않겠는가.
찬 바람도 여름에 다시 더워져 불어올 테니
더 나은 자신을 위해 그대들도 잠시 쉬어 가길 바라오.

너의 바다

저마다의 방향을 가진 물들이
제멋대로 얽혀 만들어 낸 파도는
마른 모래 위에 더 나아가기 위한 깃발들을 세워 흔적을 남기고
그 깃발들은 곧 해초류가 된다.

깃발을 옮기지 못한 물들의 아쉬움과 설움은
깃발을 넘은 물들의 기쁨과
사람들이 온전한 '파도'에게 가진 기대와 섞여
물고기가 된다.
그제야 비로소 바다가 되었다.

이처럼 실패와 성공, 기대와 좌절이
완전히 수면 위로 드러날 때
너의 바다가 완성된다.

별들은

밤하늘에는 무수한 별들이 반짝이고 있다.
그 빛은 우리의 눈에 아름다운 무늬를 그리며 빛난다.
별들은 우리가 이 지구에 살아가는 동안 변하지 않고
그 자리에 머물러 있지만,
그 존재 자체가 우리에게 끊임없는 영감과 희망을 주고 있다.

별들은 우리가 어둠 속에서도 빛을 찾을 수 있음을 알려준다.
바쁜 일상 속에서 잊고 있던
우리의 내면에 깊이 숨어 있는 희망의 빛을,
밤하늘의 별들이 다시 한번 상기시킨다.

그들의 빛은 마치 우리 마음의 작은 등불처럼,
어둠 속에서 우리를 이끌어주며
미래를 향한 방향을 찾게 도와준다.

우리의 삶은 끊임없는 변화와 도전 속에서 흘러가지만,
별들은 변함없이 우리를 지켜주고, 우리의 성장을 돕는다.
그래서 밤하늘을 바라보며, 별들의 빛을 받아들이고,
우리 자신이 그 빛처럼 빛날 수 있음을 믿는다.

어둠 속에서도 희망의 빛을 찾아 나아 갈 수 있다는
확신 속에서, 우리는 감사하며 삶을 살아간다.

마침표.

사랑보다 사랑다운 사랑을 나누고
내일의 사랑을 위해 다시 눈을 감아.

다시 잠잠했던 도시를 깨우는 평범한 7시의 알람.

아직 하루를 마치지도 못했지만
급한 대로 찍어보는 마치지 못하는 마침표.

우리의 동화는 그렇게 끝났으면 좋겠어.
아무 일도 없이, 얌전하게.

홀로 피어난 나무

모든 나무의 시작이었던 그대가
모든 나무가 죽고 새로 태어날 때까지

그대 위에 드리워 온 비구름 따돌리고
처음 보는 하늘이 나타나 다시 햇빛을 받을 때까지

쥐어 보낸 내 마음이
조각조각 그대 나뭇잎에
머무르고 닿고 미끄러져 떨어지기를.

어쩔 수 없이

모든 흐름이 마음에 거슬려요.

어쩔 수 없이 흐르는 시간을
멈추고 싶은 때도 있었지만,

그 순간마저도 어쩔 수 없이
난 앞으로 나아가야만 했고.

어쩔 수 없이 지나간 추억을
불러내고 싶은 때도 있었지만,

그 순간마저도 어쩔 수 없이
난 앞으로 향해야만 했어요.

어쩔 수 없이 떠오르는 감정을
가라앉히고 싶은 때도 있었지만,

그 순간마저도 어쩔 수 없이
우리는 앞으로 헤쳐나가야만 했고.

어쩔 수 없이 변화하는 세상에
맞서기 힘든 때도 있지만,

그 순간마저도 어쩔 수 없이
우리는 앞으로 전진해야만 했어요.

어쩔 수 없이 삶의 끝자락에
도달할 때가 올지 모른다 해도,

그 순간마저도 어쩔 수 없이
우리는 삶을 받아들여야만 해요.

사이에

물과 물이 부딪혀 돌을 깎아내고,
음과 음이 부딪혀 하모니를 만들어 내고,
잔과 잔이 부딪혀 술방울을 튀기고,
시와 시가 부딪혀 책을 펼치고,
너와 내가 부딪혀 사랑을 띄우고.

오늘은 선물

어제와 같을 거라 생각했던 아침,
눈을 뜨니 따스한 햇살이 방을 가득 채우고

오늘도 어김없이 시작된 하루,
하지만 오늘은 다시 오지 않을 유일한 날.

바쁜 걸음 속에서 잊혀진 작은 순간들,
지나가던 바람, 푸른 하늘, 피어나는 꽃들.
그 속에서 우린 얼마나 많은 것을 놓쳤을까요?

소중한 사람들의 미소, 따뜻한 인사말.
어제의 걱정, 내일의 두려움,
그 사이에 숨겨진 오늘이라는 선물

우리가 가진 건 오직 지금 이 순간뿐,
지금 여기에서 빛나는 오늘을 느껴봐요.

조금 더 사랑하고, 조금 더 감사하며,
조금 더 웃고, 조금 더 느리게 살아봐요.

마지막일지 모를 오늘, 이 순간을 위해
모든 것을 담아 살아가요.

오늘이 마지막일, 오늘뿐이 없을
다시 오지 않을 오늘을 가만히 들여다 봐요.

사랑하는 당신아

당신은 밤에, 나는 낮에.

항상 다른 시간에 서 있지만
그래도 우린 공존합니다.

멀리 있지만 우린 늘 같이 있고,
같은 하늘 아래 같은 공기를 마시고
같은 세상에 있지만 다른 하늘을 보고 있네요.

내가 마신 숨들이 그대에게 닿을 수 있길,
내 온기가 그대에게 전해져
그대 추운 겨울날도 훈훈하게 마칠 수 있길.

내가 눈 감았을 오늘 밤에,
당신의 그 밤엔 내가 있나요?

사랑하는 그대야

그대는 낮에, 나는 밤에.

우리의 너무 다른 밝기의 하늘은
서로에게 보여주고픈 모양새의
달과 해를 내어주지 않고,

내가 보는 달은 당신이 보지 못할
한낮의 반대편에 위치한 조각이네요.

겨우 떠 오른 이 해를
그대가 몇 번이고 볼 생각에
난 또 사랑을 묻혀 던져 보네요.

내 사랑이 뚝뚝 떨어질 무렵 뜬 해를 가진
그대의 그 낮엔 내가 있나요?

4
부

청춘의 초상: 사랑과 고민의 경계선

청춘은 사랑과 고민의 경계에 서 있는 시기다.
우리는 열정적으로 사랑하고,
동시에 많은 고민을 안고 살아간다.

사랑은 우리의 청춘을 더욱 빛나게 하지만,
그 속에서 마주하는 고민 들은
때로 우리의 발목을 잡기도 한다.

그러나 이 두 가지는 서로를 배제하지 않는다.
오히려 사랑과 고민은
청춘의 초상을 함께 그려나간다.

사랑은 청춘의 고민을 만들기도 하지만
덜어주는 역할을 하기도 한다.
사랑하는 사람과의 대화 속에서
우리는 자신의 고민을 털어놓고,
함께 해결책을 모으며 성장한다.

그래서 우린 그 사랑이 안겨준 고민들로
이리저리 치여 상처도 받고,
펑펑 울기도 하지만,

비로소 사랑의 진정한 가치를 깨닫고
서로를 더욱 깊이 이해하게 된다.

이렇듯 사랑과 고민은
청춘이란 종이 위에 초상을 그려나가
우리는 그 사랑과 고민의 색깔 속에서
자신의 색을 찾아간다.

바다에서 건져 올린 불

바다는 인생의 은유다.
끝없는 수평선, 무한한 파도,
그리고 그 속에 숨겨진 무수한 비밀들.
그곳에서 우리는 때때로 길을 잃기도 하고,
새로운 것을 발견하기도 한다.

인생은 때때로 끝없는 바다처럼 느껴진다.
그 바다에는 수많은 고민과
불확실성이 가득하다.

우리는 그 속에서 방향을 잃고
방황하기도 한다.
하지만, 그 깊은 바닷속에서도
우리를 이끌어 줄 불꽃을 발견할 수 있다.
그것은 우리가 잊고 있던 열정이자,
다시 일어설 용기다.

바다는 끊임없이 변하는 세상의 축소판이다.
때로는 잔잔하고 고요하지만,
때로는 거친 파도와 폭풍이 몰아친다.
이처럼 우리의 삶도 변화무쌍하다.
매일같이 새로운 도전에 직면하고,
그 도전 속에서 길을 찾기 위해 애쓴다.

그 과정에서 우리는 지치기도, 포기하고 싶기도 한다.

그러나 바닷속 깊이 숨겨진
불꽃이 있음을 기억해야 한다.

불꽃은 작은 불씨에서 시작된다.
처음에는 미약하지만,
그 불씨를 지키고 키워나가면
강렬한 불꽃으로 변한다.

인생의 바닷속에서
우리는 이러한 불씨를 발견하고,
그 불씨를 통해 자신의 길을 밝혀나가야 한다.
그것이 바로 바다에서 건져 올린 불의 의미다.

바다에서 건져 올린 불은
우리가 포기하지 않고
계속해서 도전할 수 있게 하는 원동력이 된다.

결국, 바다에서 건져 올린 불은 우리 자신이다. 우리 안에 잠재
된 가능성과 열정을 믿고,
그것을 꺼내어 빛을 발하는 순간,
우리는 어떤 어려움도 이겨낼 수 있다.

삶의 바다속 에서
우리는 끊임없이 불꽃을 찾아 헤매지만,
그 불꽃은 항상 우리 안에 있다는 것을 잊지 말아야 한다.

고민의 정원 속 사랑 빛의 꽃

고민의 정원 속에선
여러 고민들이 얽히고 설켜
마음속 깊은 곳에서 피어오르는 불안과 두려움, 이루지 못한 꿈
들과 상처들이 한데 모여,
잔잔한 바람에도 흔들리는
연약한 잎사귀처럼 떨리고 있다.

하지만 그런 말들이 무색하리만치
유독 깊은 빛과 향을 내는 꽃이 있었고
이처럼 사랑은 항상 그렇게,
우리 마음 깊은 곳에 자리 잡아
우리의 어두운 순간을 밝혀준다.

고민의 정원에서 사랑의 꽃을 발견하는 것은
쉽지 않다.

때로는 그 꽃이 어디에 있는지 알 수 없을 만큼
깊은 고민에 빠져 있을 때도 있다.
하지만, 우리가 먼저 나서서 보려 한다면
그 꽃은 언제나 그 자리에 있음을 깨닫게 된다.

우리가 눈을 뜨고 마음을 열어야만 비로소
그 꽃의 아름다움을 발견할 수 있다.

가끔은 빛나지 못한 것들이
제일 빛나는 법

우리는 눈에 보이는 것들에만
주목하며 살아간다.

돈이 발린 물건들, 성공한 사람들, 화려한 스펙.

그러나 진정으로 빛나는 것은
보이지 않는 곳에 숨겨져 있다.
빛을 내지 못한 것들이
오히려 가장 빛나는 법이다.

어두운 밤하늘을 떠올려보자.
별들은 반짝이지만, 그 아름다움은
별 사이의 어둠 덕분에 더 두드러진다.

우리의 삶도 마찬가지다.
겉으로 드러나지 않는 작은 순간들,
여러사람들이 모여 만든 사회,
눈에 띄지 않는 배려와 친절이야말로
우리 삶을 지탱하는 근간이 된다.

진정성은 소박한 순간 속에 숨어 있다.
번지르르한 외면의 진실보다,
보이지 않는 진심이 더 깊이 울린다.
작은 배려와 진심 어린 마음은

가장 큰 빛을 발한다.

가끔은 빛을 내지 못한 것들에 주목하자.
그 속에 숨겨진 아름다움과 의미를 발견할 때,
우리는 진정으로 빛나는 삶을 살 수 있다.

빛을 내지 못한 것들이야말로,
우리 인생에서 가장 빛나는 법이다.

내 마지막 일기는

지난 주말에 방 청소를 하다가
우연히 오래된 일기장을 발견했었습니다.

학교에서 내준 숙제였지만
선생님께 무작정 칭찬을 많이 듣고 싶다는 생각에
하루 안 빼먹고 꼬박꼬박 열심히 쓴 노력들이 남아있더군요.

날씨는 한결같이 맑음 옆에 햇님이 웃고 있었고
투박한 그림 실력과 필력으로 겨우겨우 한 음절을 읊어 내릴 때,
차곡차곡 쌓이던 기억들이 단단히 터를 잡은 것처럼
쿵, 쿵 하고 심장이 두근거렸습니다.

첫 장을 넘기자마자
머릿 속에 남은 잔해들과 똑같은 일상이 펼쳐졌어요.
친구들과의 작은 다툼, 좋아하던 사람과 선생님에 대한 이야기가
빼곡히 적혀 있었습니다.

시간이 갈수록 일기장 속 글씨는 점점 또렷해졌고,
그만큼 저의 성장 과정이 고스란히 드러나 있었어요.

마지막 페이지를 넘기면서,
초등학교 4학년이 될 무렵의 저를 만났어요.

마지막 페이지에는 당시의 여러 작은 꿈들이 적혀 있었어요.
그 글을 읽으며, 그때의 내 꿈들이 다시금 떠올랐어요.
그리곤 내 과거에게
그 작은 꿈마저 이루어주지 못했다고 생각한 탓에
마지막 한 장을 붙들고 한참을 발발 떨며 울어 댔던 것 같네요.

달 달 무슨 달

이제는 그 소중함을 마음속에 간직한 채,
새로운 길을 걸어가려 합니다.

보름달이 환하게 비추는 밤,
우리의 기억도 함께 비추길 바랍니다.

우리는 다른 길을 걷게 되겠지만,
저 달빛 아래
우린 줄곧 연결되어 있을 거예요.

당신과 함께한 그 길은 언제나
내 마음속에 남아있을 테니까요.

안녕. 그리고 고마워요.

팔레트

팔레트는 늘 이전에 사용한 색의 흔적으로 얼룩져 있고,
마모된 나무 위에는 여러 가지 색의 덩지가 묻어 있었다.

이 작은 나무판자는 단순한 도구가 아니었다.
그것은 한때 내 상상력과 창의력이 현실로 녹아 있는 곳이었다.

팔레트는 색을 혼합하고, 새로운 색감을 창출 할 수 있게 한다.
여기서는 갈증을 해소하고, 상상력의 역사를 담는다.

그러나 팔레트는 단순한 색의 조합을 넘어서는
더 깊은 의미를 지니고 있다.

각각의 색은 감정의 고유적인 무언가를 전달하며,
한 물감의 색감은 그 이상의 역사와 이야기를 지니고 있다.

팔레트를 떠올리며 난 삶도 마산가지임을 깨달았다.
모든 경험들은 새로운 색채를 만드는 과정이다.

성공과 실패, 기쁨과 슬픔,
모든 것은 내 인생의 팔레트 위에 묻혀 있다.

그것들은 나를 그림을 그리듯 만들어간다.
때로는 어두운 색조로, 때로는 밝고 환한 색으로,
그리고 때로는 서로 뒤섞이며 새로운 시선을 만들어 낸다.

내 팔레트는 아직 완벽하지 않다.

그러나 각각의 색과 물감은 내일을 위한 준비물이다.
물감을 혼합하고, 새로운 색을 창출 해가는 과정에서
모두 끝없이 변화하고 성장할 수 있음을 느낀다.

팔레트 위 여러 덩지들이 모이고,
이 모든 요소들이 모여 나의 그림을 완성해간다.

팔레트 위에서 나는 내 감정들을 표현하고,
하루의 색감을 만들어 나간다.

때로는 짙은 색조가 필요할 때도 있고,
때로는 연한 색감이 필요할 때도 있다.
그러나 그 모든 것이 나를 나답게 만드는 과정의 일부임을 안다.

그래서, 나는 이제 나의 팔레트를 더 깊이 들여다보고,
내 내면에서 나오는 모든 색을 받아들이며,
더 나아가 내일의 더 나은 그림을 그리기 위해
덩지들을 모을 것이다.

막
장

도착

여정의 끝자락,
이곳에 도달하기까지 얼마나 많은 시련이 있었나.
산들바람이 부는 정상에
우리의 성장의 흔적을, 성공의 발 도장을 찍었고,
우리가 걸어온 길 위에는 우리의 지난날이 새겨져 있었고,
그 길은 우리를 지금 이곳에 있게 했다.
이제는 그 과거의 순간들이 어우러지는 곳에서
여기까지의 모든 것을 느낀다.
또 다른 출발을 위해 우리는 이곳을 떠나지만,
그 길 위에서 우리가 얻은 모든 것을 함께 간직할 것이다.

모든 형태의 고민을

발 행 | 2024년 07월 16일
저 자 | 김주혜
펴낸곳 | 주식회사 부크크
출판사등록 | 2024.07.15.(제2014-16호)
주 소 | 서울특별시 금천구 가산디지털1로 119 SK트윈타워 A동 305호
전 화 | 1670-8316
이메일 | juhyegim626@gmail.com

ISBN | 979-11-410-9564-2

www.bookk.co.kr

아빠 "띵언"집

어른들의 말을 새겨 들으면, 자다가도 떡이 생긴다.

권예니 지음

BOOKK